TU·PRIMER·LIBRO·PARA
LA HORA DE DORMIR

C/ CAMPEZO S/N   E-28022 MADRID
TELEFONO 747 21 11 - TELEX 22148 SSTA
DEPOSITO LEGAL: M-12.792-1986 - I.S.B.N.: 84-305-1495-3
PRINTED IN SPAIN

TU·PRIMER·LIBRO·PARA
LA HORA DE DORMIR

susaeta

Erase
una vez
un dinosaurio
que soñaba...

Soñaba que era un pájaro,
y volaba por el cielo.

El pájaro volaba y volaba, hasta que llegó a un campo de flores amarillas...

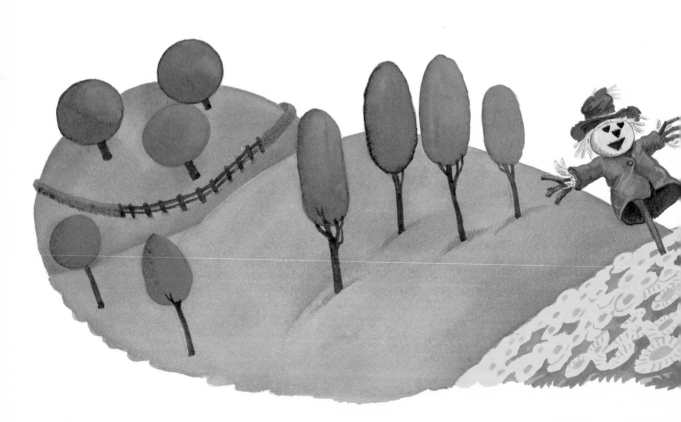

Entonces soñó que era una flor mecida por el viento.

Y el viento se lo llevó, y llegó hasta el mar...

Soñó que era un pez,
y se movía bajo las aguas.

El pez nadaba y nadaba,
y así llegó el invierno...

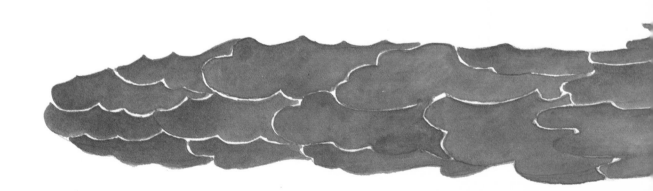

Entonces soñó que era
un muñeco de nieve,
con una zanahoria por nariz.

El muñeco de nieve
tiritaba de frío,
pero por fin salió el sol...

Entonces soñó que era una mariposa, y tomaba el sol.

Mariposeó por campos y praderas...

Y llegó la noche,
y todo fue oscuridad...

Entonces soñó
que era un dinosaurio que estaba
durmiendo en su cama.

Y el dinosaurio soñaba...